Entre a Sombra e a Rosa

poemas escollidos, 2001-2023

Carlos Penela

Edición Bilingüe
Inglés e Galego

OPEN ENDS PRESS

Deseño do interior e da cuberta: David Ter-Avanesyan/Ter33Design LLC

Imaxe da cuberta, Martin Johnson Heade, "Rosas vermellas nun vaso xaponés sobre veludo dourado" (1850), dominio público.

A presente é a primeira edición en rústica.

Fabricado nos Estados Unidos de América

ISBN: 979-8-9917990-1-0 (rústica)

"Unter einem fremden Himmel

Schatten Rosen

Schatten

Auf einer fremden Erde

zwischen Rosen und Schatten

in einem fremden Wasser

mein Schatten."

—Ingeborg Bachmann

"The most beautiful thing in the world is,

of course, the world itself."

—Wallace Stevens

De *Acaso o inverno*, 2001

Acostumarse a un idioma descuberto

desde o frío.

A días onde o amor só coñeza

esa delación esgazada do abandono.

Aquilo que precede estas palabras.

Porque foi esmorecendo o discurso teu.

Azur estremecido, espello,

sirga que se rompe, auga estiñada, espello

en cada noite, ollares frientos,

detidos no espanto.

No vestixio do voso, detidos.

Instalouse a aspereza entre as túas sombras.

A experiencia do inverno

como un devir de rosas agres. De olvido.

Como unha palabra reservada unicamente

para a dor.

Abril de 1922 para C.P. Cavafis

Frisos de serpentes, salitre requeimado,

esplendor de xerfa arrasado polo tempo.

Ninguén regresará de Alexandría.

Ninguen se perderá nese tumulto

de crinas murchadas cor de iodo,

de fronzas sepultadas baixo a area.

A dor ática dos muros descarnados,

o recordo, como unha oración enfebrecida,

o ruído que as lágrimas inflaman.

Ninguén regresará de Alexandría.

As voces de cal, as dársenas de lume,

a raza estrelecida dos profetas.

Tamén alí transcorreu o soño seu.

Co asombro sen éxtase dos días olvidados.

Para terminar nun fragor tremendo de voces moi vacías.

Ninguén regresará de Alexandría.

Despedirse das grinaldas de antano

será tal vez aceirar un pouco máis

a sombra agrandada de tanto desafecto.

Equivocar os días, pousar o alento

noutros artificios, noutras horas,

eludir o curso do noso sangue envellecido.

Ninguén collecerá xa nunca máis

esa paixón que revelaba tristemente

flores de fósforo, panoplias de cinza.

Ninguén regresará de Alexandría.

De *O que ardeu nos espellos*, 2005

Trümmersprache[1]

diso

do imposíbel regreso

do imposíbel regreso e os días aviltados

do imposíbel regreso e os días aviltados e as formas do frío

que modelaron para nós

falar diso

do imposíbel regreso

e as bocas de cinza

das bocas de cinza e a freita insalvábel

onde se perde e se nomea o mundo

falar da onda que nos incendiou de silencio

da onda que nos incendiou de silencio

e do salmo de neve

da onda e o salmo de neve e as palabras sen áncora

deitadas en nós

diso

do espello onde hai tempo

perdemos o rostro

do espello onde hai tempo

---

[1]Trümmersprache é un neoloxismo creado polo autor a partir de dúas palabras en alemán, que podería ser traducido como "lingua de cascotes".

perdemos o rostro

do espello onde hai tempo

perdemos o rostro e o amencer doutros días

como un sabor crebado e extraño

de desaparición

falar

do imposíbel regreso e os espellos mortos

dos espellos sen luz

deste,

do rostro ausente

diso

Marxes

A casa que habitamos e a grisalla que hoxe resta;

as máscaras de cinza, a confusión que nos precede.

E entre todo ese silencio, unha xerfa viva

que abrolle nas súas marxes.

A verdade do poema fendendo sobre o mundo.

Como un illó ferido. Como a sombra

que afonda nos espellos e desde eles regresa

cun tremor de ás e brancura. Irrepetíbel.

Desfechando o aceno segredado da sibila.

Entre a ramaxe remota dos invernos,

un lume abisal que nos beirea,

un ollar de rosas de salitre ao lonxe.

Esa revelación. Un agoiro esvoazando

cima dos esteiros devastados da linguaxe.

Ao final, un prego reescrito e ardendo

contra a morte. Contra os similacros do amor

e a súa ruína. E ao final, soamente

o vacío que se ordena. O mesmo desconcerto.

Un territorio liminar e sen metáfora.

As abras sen acougo dos que habemos partir

Vous ou la mort

Que sexa luz nacente sobre os fentos

ao mencer, un fervor de aves remotas;

que veña, sopro tépedo, araxe a broslar

contra a doenza dos invernos. Onde non atinxa

a saravela. O olvido. Onde nas súas súas beiras

xurdan dalias como lumes. Un soño de crisálidas

medrando sobre as sombras, un alento

arrincado dos espellos. Esa procura.

O segredo deitado nos ollares en Hans Memling:

fráxiles, lonxe da negrura. Flores de neve.

Ese tremor entre dúas augas,

como cruzar un xardín de anxos intactos.

Se non, rostros de xofre; se non,

óleos desmanchados. Vous ou la mort.

Stéphane Mallarmé espreitou por tras deste silencio

Non poderemos negar o fastío, as rosas, a farfalla;
o artificio, as súas variacións: iso que paira
entre nós e un deserto de incendiadas estatuas.
A grandeza non foi máis que unha escrita
da desaparición.
Sen lume, sen orixe. Sen soño que reviva algún fulgor.
Unha estancia fechada desde sempre.
Non poderemos negar unha natureza derramada
en cada páxina. As imaxes do inverno
residiron aquí: unha contemplación aborrecida,
os restos do mundo. Non poderemos negar
que así o silencio tece as súas sombras.
Que, como un animal ventando a morte,
ficaremos nestes cercos de xisto
que a linguaxe nos reserva. Nos agocha.

Casandra

Rumor de címbalos, vento, mirtos arrincados

landas do inverno, espadanas entre fume, sombras

luces cárdenas, negrura das rosas

ollares de xisto, cristas abrasadas

choiva sobre a terra, silencio, espanto

as súas celadas, turbación antiga de acios, bulbos

cisco, estatuas rotas, voces glaucas, bosques de sal

distancias da neve, linguaxe-Mandelstam

marxes lañadas da noite, alimento dos xacentes

serpentes, couza ou entrelazos, enramadas de calcio

madresilvas, vellos retablos, naves, óxidos

relatos estagnados, Berlín, glebas de fogo

a cor azul da greda, a dor, a maxestade acantazada

da dor, sarabanda comesta dos seus rostros

peares crebados do mundo, liñaceiras

campos en setembro, lume de crisálidas durmidas

nomes esluídos, ópalos, sinagogas con olor a améndoa

resinas crepitando, estalos de xeo

soidade abalada dos hospicios, Polonia, leitos feridos

belvederes, augas macias de outrora, bocas en flor

de cinza en flor, días fervendo, hedras, cálices rendidos

mulleres destrenzadas, petitorios de cal

ollos sarxados, quietude das campas, loureiros últimos

paradiso esgazado, ardendo

nós.

Aforismos

Un animal de sombra láiase ente nós:
alguén está nomeando a desaparición.

Cruzan aves de fogo branco, de neve morta,
os días tristes, outros, do teu pai no mundo.

Ninguén coñece o sabor da identidade,
apenas un soño de escribas cegos, ardendo.

Que luz lambe o teu rostro anónimo,
que couza fría nos reserva ese olvido?

O fondo dos espellos, a corga das olladas,
un relato confuso, só iso latendo neles.

O que se ergueu entre ondas de espanto,
antigas, o que nunca xaceu no teu pasado.

Todos son fragmentos da caída, da súa dor
todas son as voces, todas son as páxinas.

De *Sombras rosas sombras,* 2008

Desraíz

i

Agora, que o inverno se debruza nas horas
como unha gárgola ferida, que as palabras emerxen
os seus corpos vellos, duros e os ollares entre nós
ficarán como unha lingua opaca, como naves de basalto
que adormecerán xa perdidas; agora, pois,
que as beiras dun silencio gasto sumirán, ao fin,
agora, crebas a mansedume dos espellos,
o frío tenso dos días.
A distancia entre esas sombras
e todo desafecto.

ii

Este idioma é unha gándara, este idioma
son fiañas dun frío antigo, dun frío anterior
a todo frío. Este idioma é Bizancio, asolagado
en ornatos, aves de paso que atravesan os lumes,
auga que debroca co estupor do desespero.
Este idioma é unha casa irta como sombra,

os nomes do real, un anxo perdendo o seu rumbo;

iso é este idioma, a teaxe tremente dun sol branco,

dun sol de inverno, versos derrubados na elexía octava

de Rilke ao fin, liñas que falan dun acabamento novo,

dun tempo novo, este idioma, este idioma é iso

un tempo novo como gares inmensas, abandonadas,

a contorna estraña de tastos varados en sal dura.

Este idioma é unha claustra para todo alento,

as mans feridas que xa non se ofrecerán.

Novo canto para Simeón

"My life is light, waiting for the death wind,

like a feather on the back of the hand

dust in sunlight and memory in corners

wait for the wind that chills towards the dead land."

–T.S. Eliot

Quen ás noites procura devagar

o agocho do marasmo e a ollar fica, sereno,

como medra o deserto cun asedio

de lume branco, como a cidade

ergue frisos de sombra e de tremor,

alí fóra; quen agarda a solercia

das voces máis roucas e, con todo,

arranxa, máis unha vez, unha candea

para o seu mundo, rosas vivas

para esa sede, para o acaso; ese, quen

se a pobreza soa dunha luz de outono

deitar cinza vella sobre páxinas soñadas,

viaxa aínda máis alá do frío e con afago fecha

os seus cuartos e, certo, descobre así

a brancura xorda do silencio que se achega.

Capitulación

alguén tremeu co poema da verdade

alguén ensoñou as illas do sur

alguén resistiu a batida da usura

alguén intuíu a sordidez dos seus días

alguén desandou os pasos de onte

alguén marchou entre ondas de frío

alguén negou o seu rostro no espello.

Stillleben [2]

"Austria, Bernhard, Contaxio

Thomas Bernhard, a Dor

a Enfermidade, Bernhard

Fracaso, Grünkrantz, Bernhard

Hochgobernitz, Inferno..."

—Lois Pereiro

A man xeada, detida,

nunha páxina imposíbel;

as voces de pedra,

o esplendor negro.

Os titáns sostendo o mundo,

un vendaval de ás de lume,

de aves renacidas contra o ceo

(muralla de tremor).

O ar gastado, destruído

dunha sinagoga, os ornatos

do expolio, o cristal azul da dor.

As prisións de nós, os mantos da invernía,

as lámpadas humildes, embazadas

---

[2] En alemán no orixinal: "natureza morta".

26

dos mercados. As canellas,

a poeira secreta dos teatros.

Salas fondas onde ninguén entrou...

A doenza apagada dos cafés.

O naufraxio dos rostros. Séculos de brado,

de sede. De caída:

a insania vouga do tempo.

Aquí.

Versión sobre Hugo von Hofmannsthal

E con calados ollos medramos en nós,

nós, que nada comprendemos:

Medramos, partimos

E outras sombras pasan cabo desta beira.

E a estación trae chuvias que virarán

a dádiva do mundo e palabras, palabras como froitos tristes

baten a pel da noite caendo e apenas

a poeira desas tardes fica para logo esquecer.

E as esferas da idade pasan como un vento escuro

e, outra volta, pois, erguemos o alento

desde a nosa raíz devagar, sabéndonos cansos

e rendidos, finalmente.

Desaparicións. Paráfrase a Nelly Sachs

por baixo desa pel, o canto dos envelenados

por baixo dese ceo, un mapa ferido

por baixo das augas, a cidade da infamia

por baixo dos rostros, unha sede calada

por baixo das rosas, o pranto do mundo

O que fica por baixo da pel e da sombra

a promesa de fogo, a gravura dos vivos,

iso que agardas como un plenilunio

de pólvora fera,

iso que conxuras coa vontade dos famentos;

o que fica por baixo da voz calcinada

da ferida da idade, dos espellos vazados;

iso que nomeas como a páxina intacta

como a rosa salvada, como as mans

omo a rosa salvada, como as mans devecendo;

o que fica por baixo do silencio

e os días.

Por baixo das pontes aterecen os poetas

Ese corazón que descendeu á entraña do amencer,

ese corazón que ardeu na pavana estragada do mundo,

ese corazón que vadeou cara ao desaparecemento

ese corazón por tras da súa sombra, contra si mesmo.

Por baixo das pontes aterecen os poetas

e ti quixeras dicir tamén ese corazón hoxe

quixeras dicir como un segredo morrendo

o nome da cidade escura ou o lugar onde agochas

a candea e a saña dos teus días sen pairo.

Ese corazón co sabor dun pan fermentado cada día,

ese corazón contra o fasto perverso da senectude,

ese corazón polo cáliz cheo da paixón refundada

ese corazón como un navío na luz ferida do tempo.

Por baixo das pontes aterecen os poetas,

asobían heroes vellos unha balada en carne viva

e ti quixeras fuxir afundindo o teu rostro na madrugada

quixeras ferir as túas mans cansas agora noutro espello.

Steine der Erinnerung[3]

Gardas o pedazo crecho e a candea dos teus pais,

o pano vello

e unha flor de cinza no lugar da túa estirpe:

gardas os libros abertos como o selo deste fogo

como o signo dos humildes

como alerta viva contra toda rendición;

gardas a imaxe doutro inverno,

a roda das palabras musitadas unha a unha

a sombra, onde a estraron: a nódoa dos malditos.

---

[3] En alemán no orixinal, "pedras da lembranza".

De *Arte de fuga*, 2015

Lágrimas, Caravaggio

"Coral dust. Anabasis."

—John Ash

Agora, en Porto Ércole,

fóra dos cárceres do mundo,

mancan os días como óxido frío.

Esta estación verque a súa sede,

pámpanos que tremen nas túas mans,

o froito do sangue que ninguén enceta.

Mancan os cabelos tépedos, escarlatas,

que procuraches no solpor;

o fulgor purpura de Tiro noutros ollos,

nos corpos condenados.

Os leitos sucios ao amencer,

as lanternas amarantes dos festíns,

as nódoas de sombra, a claridade dourada

do teu soño de home.

Agora, neste estío que apodrece lentamente

mancan os días como sal

(un maleficio devorando as olladas

do que máis amaches):

o vento indigo, perdido, deses días,

un aroma de pólvora e de prata.

Alí onde era o corazón granate e quente

dos outonos excelsos

crecerá para ti unha flor cega,

lento o espiño albar como un agoiro.

Procuraches no ocaso e no silencio

os ocres máis fermosos do pan en Emaús,

a luz para ese aceno nun misterio de arxila;

mais xa non chamarás polo anxo

que che outorgue o seu clamor

nin has pousar o arfar

coa mesma mansedume dese mar ao fondo.

Agora en Porto Ércole,

lembras rendido os vieiros do exilio,

os muros cárdenos das leproserías,

os rostros dos afogados,

o fósforo das voces que deploraban o teu nome,

a cor da túa furia.

Paradiso

Non treme xa esa luz da infancia
como estrela viva ao fondo dos cuartos,
nin se sente a rosa humilde de nós
no frío do mundo, na cidade escura.
De cada obxecto medrará o seu tempo
e o teu corpo camiñará por outros mapas.
Non hai naves que partan con máis soños
nin libros calmos para o teu ollar con sede;
non hai pegada fonda nin voces para levarte,
nin a música certa que desfeche os medos.
Era real a estación lóbrega da vida,
fóran dicían o teu nome sen anxo, sen coroa.
Non houbo despedida, non se redixiu ningún diario.
Esta é a materia dos teus días:
desde a palabra mesma
onde rematou o paradiso.

Alguén vivo pasa

"Get up and walk through the city of the massacre, [4]
and with your hand touch and lock your eyes"
—Hayim Nahman Bialik

In memory of Jaime Vándor, survivor

A onde nos leva este vento pola cidade
aínda en chamas, a cidade vosa en chamas?

Aos teatros fondos, tal vez?

Até ás avelaíñas que xa non acordan
na alfarrabía pecha?

Aos corredores envoltos en voces
e luz cor de malvela
como un orballo esquecido?

A onde ir?

A esas rúas, humilladas na súa raíz,

---

4. Do poema en hebreo 'Na cidade do exterminio', desde a versión en inglés de Vladimir Jabotinsky.

con olores a carburo e sal vello,

por onde unha vez se escribía

o segredo do mundo?

—o animal da dor tallado en xade agarda,

espreitando estará no centro do teu soño:

barcarola que arrefece nas bocas, sabor pobre.

A onde, sen vós, a onde?

(Continuará lenta a pavana fría nos palais,

se callar a tramoia, o trebón de Bruckner,

o estuco esfarelándose ...)

A quen lle fala este vento?

Nada fica apenas nas gavetas

e o recordo do amor, como pan morto,

estragaron de vez.

A onde irmos, a onde?

Que a neve visita cada porta

e xa o teu nome, Sulamit,

esgaza este poema como pel doente.

Antigos mestres

O tema é aquel que se estampa en escondidas partituras
invocando moi devagar o Angelus
e nese poema recollido, menor
que Zbigniew Herbert escribira
como unha serena homenaxe.

O da xeada nas táboas humildes e lañadas
das mañás do mundo.

Non hai rúbrica, tampouco orgullo,
hai apenas unha certidume:
as mans pousadas nos aromas vellos da greda.

A perfección do silencio é descrita así,
semellante ao amanuense que, anonimamente,
foi riscando unha escena invernal
entre candeas e panos como fume pobre,
entre manuscritos venecianos.

Que se evoque o esquezo secando os corazóns
(o fondísimo lamento dese salmo no desterro)
se a incuria entrar na casa dos pais como doenza;
ese é o propósito, a tarefa arrincada
ás sombras: unha Madonna iluminada,
os ollos mortais nun espello.

O mesmo oficio onde se senten na tarde

húmidas canellas de tintureiros,

voces iguais a augas estiñadas;

o medo dos home baixo a noite

en caladas cidades cor de Siena.

A estación que anunciou os astros,

a brancura nas ponlas das maceiras:

todo iso, unha visión fóra do espanto.

Sempre á beira dun río que, como seda fría, pasa.

Unha lectura de W.G. Sebald

Unha praia de osamentas nas lindes do Norte

e a lembranza dun fasto de azuis napoleónicos,

perdidos; un salón de pasos mortos no corazón

do frío, as filigranas do tempo co seu lume fosco,

ensarillándose entre os rostros, entre as máscaras.

A memoria das landas como un animal fuxindo

a través de cada inverno, aquilo que treme aínda

na sonata Kreutzer, nas fogatas púrpuras do abrente.

Vellos carimbos comestos polo sal do tempo,

as xíneas derrotadas, un estrondo de faianzas nobres.

O ollar das estatuas que ficou logo dos rondós,

as bandeiras carbonarias contra os ceos de Europa,

os arquivos da batalla, a candea prendida nos exilios.

Story of Isaac

"He said, 'I've had a vision

And you know I'm strong and holy

I must do what I've been told"

—Leonard Cohen

Dime, que novo conxuro ou sacrificio

acatarán esas mans feridas, túas, dime;

que mensaxe prendeu

no corazón gasto do mundo,

que augas pasan, agora,

como un deus vencido,

entre o teu fracaso e o meu soño?

Cando abras esas portas

non haberá máis que unha chaira entre nós,

a ménsula endurecida e repetida doutros días,

apenas a sombra dun anxo

que xa non poderemos invocar.

Dime, como saber a crisálida sórdida

de todas as palabras,

os acenos dun cansanzo anterior ás nosas bocas frías;

como recompor, pois,

os fragmentos esgazados deste ollar?

Cando abras esas portas

ficará só un perfil de rosas pobres

e o meu alento repousará xa noutros mapas,

moi lonxe.

Cando veñas procurarme,

acharás só a cinza

que anunciaban os profetas,

o silencio dos froitos que ninguén acubillou.

Dime, que armas de xeo agardan aínda por nós,

que renuncia se teceu e desteceu

irremediabelmente nesta estirpe,

que mar nos afastou para sempre

da raíz desta casa morta?

Ouro como fogo xeado

Na firmeza con que o tempo funda o corazón da pedra
e nese verdor frío de oucas con que as augas nomean
cada xeración; nos pórticos do vento que as aguias fenden,
nas chuvias que sementaron palabras como bronce, sen usura
—aí é onde acharemos o segredo dos días, esa raíz vella—
polas cores de fume e de sanguiño deixando o seu alento:
nos animais románicos á esculca, nas pegadas gretándose
entre os muros, nos ámbares que as mans tallaron devagar,
polas rosas de auga que brotaron para seren o noso testemuño
—por elas crepitará viva unha luz ao ollarmos sobre os ríos—
no mar de fentos que ergue nas valgadas a súa onda escura,
nos silencios de nacre dos invernos, nas voces boreais
como lobos brillantes, esgotados, fuxindo baixo a noite,
na cauda irisada de centauro cruzando soa na batalla
—onda eles, a intemperie da vida, os pasos sobre as poldras—
nas páxinas escritas con ese abalo dos días que non morren
nas figuras que naceron da caliza, do oficio do esplendor,
como unha tarefa miniada, como unha angueira secreta:
nos froitos preservando a súa cerna, o pálpito, as resinas
—neles martela ese bafexo que soprará de novo sobre os rostros—
nas corolas de pranto tecidas como neve para os ausentes

(alguén só nos corredores, esquezo como fulixe sobre o amor)

e na oración que por eles se musita co sabor da brancura,

nos vellos óboes do outono beixando a cortiza do mundo

—o relato de nós habita ese silencio: unha visión infinda de sal—

nos vieiros da vida onde se estraga o alento e, no entanto,

se prosegue, no país asolagado como un naufraxio antigo,

no vento que apagará os restos presentidos do fracaso;

para quebrarmos a tona da dor que, como cinza, nos cega,

para deitarmos unha áncora que nos prenda a esta beira,

para salvarmos o corazón da terra que tremerá logo de nós

—palabras nun idioma de sombras, ouro como fogo xeado.

De *Ese tépedo vento que pasa sobre o mundo*, 2019

Preludio

Sentirás as ondas sentirás o vento azul

as ondas regresando

sentirás as escumas dun mar insondábel

batendo no teu corpo acendido

sen alxemas

sentirás o púrpura clamor das estacións

pasar voces que anuncien con paxaros

o estío docemente o estío onda ti

sentirás palabras brancas como a luz primeira do mundo

devagar sentirás

como as rosas ofrecen o segredo dos seus días

sentirás en ti unha anunciación

un río cruzando o soño que esqueceras na sombra

sentirás o aroma de todo iso feramente

de todo iso que para sempre será amado

coa entrega última dos coroados pola vida

de todo iso que alimenta insomne

a danza

as cores das estrelas aínda puras

sentiralo así

ao camiñar máis alá do tempo

dos seus mapas gastos

máis alá

deixando atrás todo deserto

toda inútil vaidade

sentirás o teu rostro madurando nos espellos

o tremor desoutra pel

que ninguén lograra aínda conmover

a noite

sentirás a noite como un fermoso santuario

de silencios

a terra sementada do teu limpo corazón

o sangue ceibe nas túas mans salvadas

nesa cálida boca que ao fin esquecerá

o espanto

o ermo territorio de tanto abandono tanto

así sentirás

o lume prenderse ao teu redor

así

así sentirás

os mares abrirse como nunha vella profecía

sentirás todo iso

as pétalas curando das súas cinzas

un fulgor preservado no fondo das olladas

o desafecto vencido pola furia

sentirás onda ti

a inminencia dunha choiva presentida

longamente

sentirás o alento teu

noutro alento que te acolla

que te acolla sen coutos nin esperas

sentirás que nada foi inútil a pesar das augas máis escuras

que nada se perderá coas bágoas

co vento

sentirás

que todo celebra a inesgotábel liña do horizonte.

Nós somos os países

"Die Wüste wächst: weh, wer zur Wüste ward!"

—*Friedrich Nietzsche*

"We are the real countries, not the boundaries drawn on maps
with the names of powerful men"
—*Michael Ondaatje*

Nós somos os países, non as fronteiras gastas

esquecidas,

por onde o vento non sementa xa os días.

O deserto avanza, o deserto avanza fóra,

pero nós somos os corpos que resistirán perante el,

somos os corpos que cruzarán os ríos,

que agardarán pola acometida atroz do tempo.

Porque nós somos os países,

esas pegadas que falan de fentos ergueitos contra o lume,

a materia cálida das voces acoradas,

das noites sen ruína.

O deserto avanza,

a palabra treme como unha rosa fría,

pero nós somos os países, a terra verdadeira

onde os amantes deixan atrás o silencio e o pavor.

Nós somos os países,

non os címbalos anunciando a derrota.

Somos as olladas que emerxeron do pranto,

que soñaron as fontenlas, que fecharon as feridas

doutras mans lañadas coa escuridade hostil do mundo.

Somos o lugar dunha raíz máis fonda, compartida;

riscaremos o trazo da cinza, iremos alén da neve morta.

O deserto avanza,

unha area dura aguilloa incesante

o corazón dos fillos, as torres altas deste sangue,

pero nós vimos desde as marxes para ancorar aquí,

para deter o vendaval e o acabamento, a decepción.

Porque nós somos os países,

non a seitura abrasada,

non a lingua en extinción dos animais da tristura,

nunca o alento engaiolado dos náufragos.

Ficamos calmos contra o deserto e a súa onda negra,

somos os corpos que termaron de si mesmos, bandeiras,

somos bandeiras no vórtice da danza e o clamor.

Nós somos os países, nós somos os corpos,

os países que se alzarán de novo desde a sombra.

Non é insania esta beleza

"If love be not in the house there is nothing"
—Ezra Pound

Non é insania esta beleza pousada no mundo

aínda que a ruína e as cinzas cerquen agora o teu alento.

O labor agochado dos días, a luz de bronce en Rávena,

xeracións de ourives que falaron nas linguas de Deus,

que fixeron agromar rosas de lume das arxilas sen tempo.

Todo iso non foi couza, non foi espello escuro na serán.

Non, non foi inútil a batalla contra as hostes da morte e o deserto.

Non será o poema devorado polo esquezo.

Náufrago no corazón das donas de outrora, aquelas

que espreitan desde os frescos ocultos das galerías

e as estancias drapeadas de esplendor e xemas gastas:

Que será pois desta casa se nela non habitar o amor?

Que será do canto da sibila que os menestreis soñaran?

Pel ourizada polo amencer e a furia da paixón e o estrago,

boca orlada como coral fino de Bianca de'Medici.

Non é loucura a beleza aínda que os palacios afundiren,

non foi con desacougo e pavura que se tallaron rostros,

ollares xaspeados co silencio de froitos pútridos,

non arrefeceron as mans do laudista na noite mesta.

Non serán clamor perecendo na tebra esas palabras.

De *Trono e caléndula*, 2023

Logo de nós

Pensabamos que os días acababan

como os vellos ríos que se perden,

pero esta beleza e as cores do mundo

seguirán mañá, seguirán

cando os nosos pasos sexan sepultados

pola area e o devalo

e nos corpos o amor fique apenas

como cinza dunha estrela durmida.

Pensabamos que as palabras do lume

non coñecerían outras bocas,

que os acenos aínda vivos

virarían sal, esquezo

logo desta despedida, do tempo escurecendo,

logo da última estación que se percorre.

Mais este idioma alzará outra volta

o corazón vencido,

a casa de outrora,

a ruína comesta do silencio.

Pensabamos que esta terra

non daría xa outra dádiva,

que as noites serían un deserto estraño,

que aquel fascinio louco

sumiría como un animal de xade,

como un rostro ferido de pedra.

Mais proseguirán as rosas

nacendo como un milagre

e o vento deitará a súa semente,

a mensaxe abrasadora

de todo iso que regresa.

Inminencia de setembro

A tépeda memoria

dos froitos que xa non encetaremos,

as cores que esgazan, caladamente,

como un salouco envellecido,

o curso das palabras que entraron en nós,

todo iso que tremía entre os corpos.

Pasan aves, sombras,

luces de malvela nun adeus presentido;

regrésase a interiores, a cuartos de silencio,

chega a noite como unha marea súbita

devorando as rosas,

xeando as bocas dos ausentes.

A música dos días é un ceo derrubándose,

unha fronteira entre estíos perdidos

e bosques da cor do cobre e os saloucos;

a música das noites é un paxaro de xaspe,

augas que avanzan como unha densa vontade,

como un asedio de voces na poeira.

Debullamos a semente durmida,

sentimos as bolboretas de xiz e cinza azul,

chegamos ao corazón da terra,

Carlos Penela (nacido en Vigo, Galicia, en 1975) é un poeta galego, galardoado con diversos premios. Entre os seus libros de poemas anteriores figuran *As linhagens do frío* (1998), *Acaso o inverno* (2001), *O que arden nos espellos* (2004), *Sombras rosas sombras* (2008), *Arte de fuga* (2014), *Ese tépedo vento que pasa sobre o mundo* (2019) e *Trono e calêndula* (2023). A súa obra foi publicada nas principais revistas e xornais liter-arios galegos, e varios dos seus poemas foron traducidos ao alemán e ao castelán. As súas traducións do portugués e do alemán inclúen o Diario de Moscova de Walter Benjamin. Desde o 2004 vive en Viena.

Carlos Penela (born in Vigo, Galicia, Spain, in 1975) is an award-winning Galician poet. His earlier books of poems include *As linhagens do frio* (1998), *Acaso o inverno* (2001), *O que ardeu nos espellos* (2004), *Sombras rosas sombras* (2008), *Arte de fuga* (2014), *Ese tépedo vento que pasa sobre o mundo* (2019) and *Trono e caléndula* (2023). His work has been published in major Galician literary magazines and newspapers, and his poems have been translated into German and Spanish. His translations from Portuguese and German include Walter Benjamin's *Moscow Diary*. He has lived in Vienna since 2004.

chegamos a setembro.

Ficamos no soño e na saudade.